D1517895

Léonard
est un drôle de canard

Texte de Yann Walcker
Illustrations de Julie Mercier

AUZOU

Avec son bec en trompette et son bob à fleurs sur la tête,
Léonard est vraiment un drôle de canard ! Contrairement
à son frère et ses sœurs, môssieur ne cancane pas... il aboie !

2

C'est simple : à la basse-cour, lorsque les poules lui disent
bonjour, au lieu de répondre poliment « coin-coin »,
il remue son petit popotin en jappant comme un chien !
OUAH ! OUAH ! OUAH !

À la maison, ses parents savent bien, eux, que Léonard ne fait pas exprès d'être original. Évidemment : il est né ainsi !

Mais à l'école des Trois-Têtards, premier nénuphar en entrant dans la mare, c'est une autre histoire. Ses camarades refusent de nager avec lui, sous prétexte qu'il est trop... « bizarre » ! Pauvre Léonard ! Le voilà seul au bord du plongeoir...

5

« Et si tu leur prouvais qu'ils ont tort ? coasse alors une vieille grenouille assise au bord de l'eau. Tu sais, être un peu différent ne doit pas t'empêcher de vivre normalement ! D'ailleurs... »

Mais Léonard est trop agacé. Puisque personne ne veut jouer avec lui, tant pis : il préfère s'en aller d'ici. Sans attendre, le caneton se faufile sous la clôture... et hop, en route vers l'aventure !

OUAH ! OUAH ! OUAH ! Au milieu des fougères, Léonard se dandine en aboyant joyeusement. Mais au bout de quelques mètres, BING ! une petite taupe en salopette bleue et coiffée d'un casque lumineux lui fonce dessus !

« Pardon, M'sieur, j'vous avais pas vu ! dit-elle
tout essoufflée. Moi, c'est Marcelle. Faut m'excuser, mais…
entre nous, j'y vois rien du tout !

« Eh oui, poursuit Marcelle. Comme on dit,
je suis un peu malvoyante. Mais attention, hein,
c'est pas pour autant que j'sais pas m'rendre utile !
Tenez, r'gardez, toutes ces galeries et ces terriers...
eh ben, c'est moi qui les ai creusés ! »

Léonard est impressionné : Marcelle a beau ne rien y voir,
elle sait bâtir de belles maisons pour les belettes et les renards !

Tandis que Léonard s'éloigne, une délicieuse odeur vient lui chatouiller les narines. Hmmm... cela vient d'une petite cabane en bois. Le caneton s'approche avec gourmandise...

À l'intérieur, un gros lapin nommé Norbert et vêtu
d'un tablier vert cuisine un gigantesque cake aux carottes.
« OUAH ! OUAH ! OUAH ! Que ça sent bon !
aboie Léonard avec des yeux ronds. Pourrais-je en avoir
une petite part ?

le cuisinier vexé. Tiens, goûte ça, au lieu de raconter des bêtises ! »

Léonard pouffe de rire : malgré ses grandes oreilles,
Norbert est sourd comme un pot de miel ! En tout cas,
cela ne l'empêche pas d'être un grand chef... Quel régal !

Mais au fait, et si la grenouille avait raison ?
Après avoir remercié Norbert, Léonard repart
en longeant la rivière...

Passant près d'une botte de paille, Léonard décide
de s'amuser un peu. Il prend son élan, saute dedans...
et tombe nez à nez avec un serpent !

Affolé, le caneton se met
à trembler... mais en l'observant
de plus près, Léonard réalise que
le reptile ne fait pas peur du tout !

« Bonzour ! dit celui-ci en zozotant fortement. Ze m'appelle Zédéon et ze suis z'hu-mo-riste !

« Quand z'ai découvert que mon ceveu sur la langue amusait beaucoup mes z'amis, z'ai décidé d'en faire mon métier. Et comme ze dis touzours : mon petit défaut… c'est ma plus grande qualité !

– OUAH ! OUAH ! OUAH ! » jappe Léonard, hilare.
Décidément, ce voyage réserve bien des surprises !
N'empêche : cette fois encore, la grenouille avait vu juste...

Les plumes au vent, Léonard traverse à présent un vaste champ. Soudain, il aperçoit au loin une étrange machine qui se déplace toute seule ! Intrigué, le petit canard s'avance prudemment...

Mais… ce n'est pas une machine ! C'est un gros toutou blanc !
Un superbe briard nommé Oscar, qui trottine sur ses pattes avant
tandis que son arrière-train est fixé à une sorte de fauteuil roulant…

« Bonjour, dit Léonard, un peu étonné. Je... euh... que t'est-il arrivé ?
– Oh, ne fais pas cette tête-là, répond Oscar en riant. J'ai eu
un petit accident et, depuis, mes pattes arrière refusent de bouger.
Mais mon maître m'a bricolé cette brouette, ainsi je peux de nouveau
gambader ! D'ailleurs, si on fait la course, tu verras que je suis plus
rapide que toi ! Yehaaaaa ! »

Léonard n'en revient pas. Ce briard, quel courage !
Cette fois, c'est sûr, la grenouille a dit la vérité : son handicap,
Oscar l'a transformé en force et le caneton n'est pas prêt de l'oublier.

Mais pour l'heure, il ferait bien une petite sieste. Justement, dans le creux d'un arbre, un joli merle aux ailes minuscules veille sur une ribambelle d'oisillons...

« Si tu veux, tu peux te joindre à nous, roucoule Antoine avec douceur.

– Merci, répond Léonard. Mais... pourquoi ne voles-tu pas
dans le ciel avec tes amis ?
– Oh, c'est simple, raconte Antoine en souriant. Je suis né
avec de trop petites ailes. Mais comme j'aime beaucoup les bébés,
je reste ici pour m'en occuper ! »

Sans faire de bruit, Léonard s'installe à côté d'une jeune colombe, tandis qu'Antoine entonne une berceuse. Le caneton se sent bien sous cette aile, petite mais chaleureuse, et plonge rapidement dans un profond sommeil...

Soudain, SHBLINNG ! Léonard est réveillé en sursaut par un bruit de vitre brisée. Horreur ! Quelqu'un attaque la ferme !
Aussitôt, il se précipite vers la maison afin de sauver ses amis.
Mais que peut bien faire un simple canard contre de terribles bandits ?

« OUAH ! OUAH ! OUAH ! » Vite, vite, Léonard passe sous la clôture...

« OUAH ! OUAH ! OUAH ! »
Le voilà qui traverse la mare...

« OUAH ! OUAH ! OUAH ! »
Il se rue à présent dans la basse-cour...

Affolé par ces puissants aboiements, le voleur s'enfuit sans demander
son reste ! Léonard est fier de lui : il a réussi à chasser cet affreux
bandit. Ses parents, émus, le serrent dans leurs ailes tandis que
ses camarades, admiratifs, l'accueillent à présent comme un héros.
Même la vieille grenouille, l'air radieux, est là pour l'applaudir...

« Tu vois, dit-elle en lui faisant un clin d'œil, un chien, c'est bien, mais face aux voleurs, rien de tel qu'un canard aboyeur ! »
À ces mots, toute la basse-cour éclate de rire en hurlant de joie :
« OUAH ! OUAH ! OUAH ! »

Direction générale : Gauthier Auzou
Responsable éditoriale : Claire Simon
Mise en pages : Anne Jolly
Responsable fabrication : Jean-Christophe Collett
Fabrication : Virginie Champeaud
Relecture : Marjolaine Revel

www.auzou.com